흘림체
1

갈꽃 전숙희 쓴

한 글 서 예

☙ ㈜이화문화출판사

차　례

□ 흘림체 받침

□ 흘림체 겹받침

□ 흘림체 낱말

□ 흘림체 자음·모음 필법

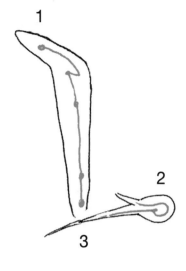

「각, 단, 랑」의 「ㅏ」획에서 ①의 세로획은 자음의 길이 만큼 짧게 긋고 ②의 가로획은 붓을 세워서 그림과 같이 자음의 아래 획 높이에서 가볍게 오른쪽으로 빗겨 찍고 붓끝을 세워서 ③의 왼쪽 아래로 예리하게 빗겨 받침자음까지 긋는다.

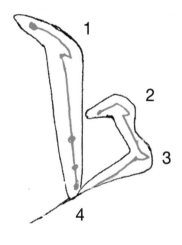

「냥, 양, 향」의 「ㅑ」획에서 ①의 세로획은 자음의 아래 획보다 약간 길게 긋고 ②붓끝을 세워서 가로획의 위 점은 자음의 위 획 높이의 세로획 오른쪽으로 가볍게 찍고 붓을 들면서 약 45도 각으로 빗겨 내려와 ③에서 살짝 눌렀다가 ④의 받침자음까지 예리하게 빗겨 긋는다.

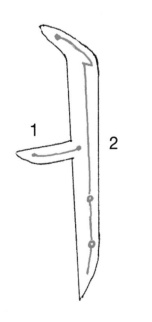

「거, 더, 어」에서 「ㅓ」의 가로획은 자음이 놓인 자리 $\frac{1}{2}$지점에다 점의 방향을 위로 가볍게 약간 빗겨 놓거나 아래로 놓기도 한다.

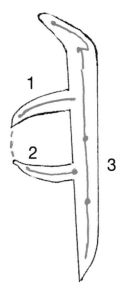

「녀, 여, 쳐」에서 「ㅕ」에
서 위 가로획은 자음에서
이어지듯이 찍고 아래 점
은 동그라미를 그리듯이
아래로 가볍게 수평으로
긋는다.

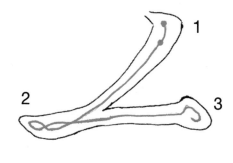

「노, 보, 오」에서
「ㅗ」는 위 자음의
끝 획에서 ①왼쪽
약 45도 각 아래로
부드럽고 점점 가늘
게 빗겨 그으면서
②붓끝을 세워서 살
짝 누르고 점점 붓
을 들면서 가로획을
긋고 ③에서 붓을
누르며 든다.

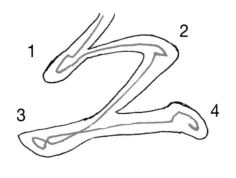

「묘, 요, 효」에서
「ㅛ」의 ①획은 위
자음의 끝 획에서
빗겨 내려온 획에서
붓끝을 세워 가볍게
오른쪽 위로 빗겨
긋고 ②붓끝을 세워
「ㅗ」의 필법과 같이
마무리 한다.

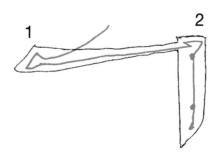

「구, 무, 푸」에서 「ㅜ」의 1
획은 위 자음의 끝 획에서
빗겨 내려온 획에서 붓끝을
세워 가볍게 오른쪽 위로 가
로획을 빗겨 긋고 2붓끝을
세워서 「ㄱ」의 세로획과 같
이 긋는다.

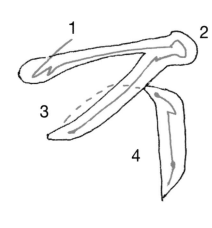

「뉴, 슈, 유」에서 「ㅠ」의
1획은 위 자음의 끝 획에
서 빗겨 내려온 획에서 붓
끝을 세워 가볍게 오른쪽
위로 가로획을 빗겨 긋고
2붓끝을 세우고 눌렀다가
오른쪽 약 45도 각으로 부
드럽게 빗 그어 3에서 붓
을 든다. 4획은 2와 3을
이은 선의 위쪽 $\frac{1}{3}$지점 오
른쪽에 붓끝을 세워 놓고
「ㄱ」의 세로획과 같이 긋
는다.

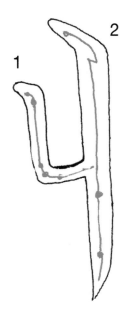

「개, 매, 새」의 「ㅐ」획은
「ㅏ」획과 「ㅣ」획이 합성된
획으로 1의 「ㅏ」획에서
세로획은 자음의 길이만큼
짧고 약하게 긋다가 가로로
둥글게 꺾어 같은 굵기의 선
으로 점을 찍는다. 2의 세로
획은 「ㅣ」획과 같이 긋는다.

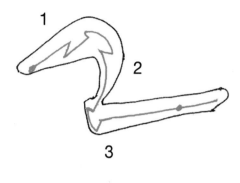

「다, 디」의 「ㄷ」획에서 ①은 「가」의 「ㄱ」획을 긋듯이 가로획을 찍고 붓끝을 세워서 ②에서 수직으로 점점 가늘게 긋고 ③에서 붓끝을 세워서 살짝 아래로 눌렀다가 수평으로 점점 가늘게 긋는다.

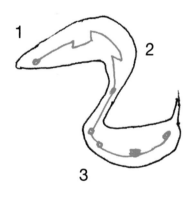

「더, 뎌」의 「ㄷ」획에서 ①의 가로획은 「다」의 ①획과 같고 ②에서 붓끝을 세우고 들면서 약간 왼쪽으로 둥글고 가늘게 내려오면서 오른쪽으로 돌아 ③에서 붓끝을 수평으로 빗겨 강하게 누르고 위쪽의 모음 방향으로 붓을 든다.

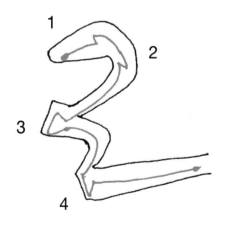

「라, 랴, 리」의 「ㄹ」획에서 ①획은 「가」의 「ㄱ」획을 긋듯이 붓끝을 세워서 가로로 짧게 눌렀다가 오른쪽 아래로 ②까지 둥글게 긋고 멈추었다가 붓을 점점 들면서 왼쪽 ③까지 긋고 붓끝을 아래로 눌렀다가 오른쪽으로 들면서 둥글고 가늘게 그어 ④에서 붓끝을 세워 아래로 강하게 눌렀다가 수평으로 점점 가늘게 긋는다.

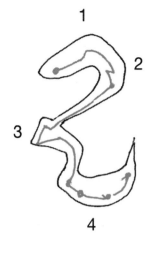

「러」는 「라」의 1획과 2획
의 필법과 아래의 3획과
4획의 「ㄷ」획은 「더」와 같
은 필법과 같으나 세로획을
약간 짧게 하여 모음방향으
로 긋고 붓을 든다.

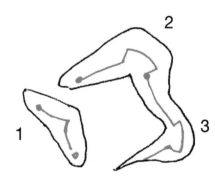

「모, 무」의 「ㅁ」획에서 1
은 정자 첫 획의 필법과 같
지만 길이는 짧게 찍고 2
에서 가로 점을 찍듯이 붓
끝을 눌렀다가 살짝 들면
서 수직으로 내리고 오른
쪽으로 방향을 바꾸어 빗
겨 긋다가 3에서 붓끝을
누르고 왼쪽 아래 모음의
첫 획 아래로 붓끝을 빗겨
친다.

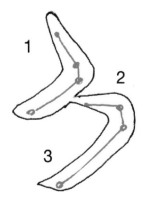

「서, 셔」에서 「ㅅ」획은 1획
은 「사」와 같고 2획은 1획
에 좀더 위로 빗겨 긋고 3획
은 1획의 끝에 붓을 빗겨 놓
고 수직으로 점점 가늘고 길
게 내리긋고 붓을 든다.

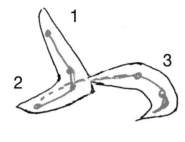

「소, 쇼, 수, 슈, 스」의 「ㅅ」에서 ①획은 붓을 약75도 각으로 세워서 점을 찍고 왼쪽으로 약35도 각의 ② 획을 점점 가늘게 긋는다. ③획은 ①획의 끝에서 ②획과 균형을 이루도록 아래로 둥글게 찍는다.

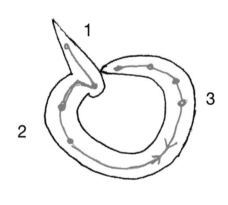

「아, 야, 이, 양」의 「ㅇ」획은 붓끝을 세워서 왼쪽의 약45도 자리에 「ㅁ」의 ① 획 머리와 같이 살짝 놓았다가 붓을 세우면서 왼쪽으로 둥글게 반원을 그리고 붓을 들어 ③에 살짝 놓고 천천히 누르면서 오른쪽으로 원을 그려 ②획의 꼬리와 겹치게 긋고 붓을 든다.

「어, 여」의 「ㅇ」획의 필법은 위와 같으나, 붓을 놓는 자리는 「거, 겨」에서 「ㄱ」 획의 필법으로 써야 한다.

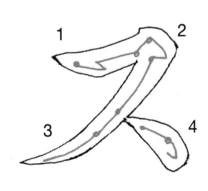

「사, 샤, 시」의 「ㅅ」획의 ①획은 붓끝을 왼쪽에서 약45도 각으로 찍고 붓을 세워서 ②에서 왼쪽 약45도 각으로 빗겨서 선이 점점 가늘게 붓을 들면서 살짝 수평으로 들어 붓을 멈춘다. ③획은 ②획의 중간에서 약45도 각으로 누르고 붓을 든다.

「자, 쟈, 지」의 「ㅈ」획에서 ①의 가로획은 힘 있게 긋고 「ㅅ」획을 붙이는데 머리의 점은 「사」의 보다 약하게 찍는다.

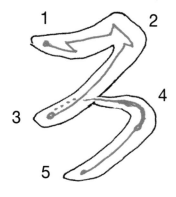

「저, 져」의 「ㅈ」획은 ①획은 「자」와 같고 ② 획은 「서」와 같다.

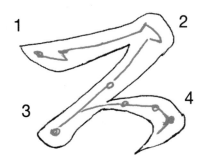

「조, 죠, 주, 쥬, 즈」의 「ㅈ」에서 가로획은 앞의 글씨와 같고, ②, ③획은 「소」의 「ㅅ」획과 필법이 같다.

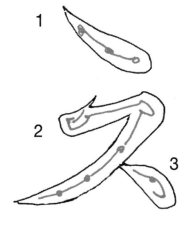

「차, 챠, 치」의 「ㅊ」획에서 ①획은 「ㅎ」획의 필법과 같고, ②획과 ③획은 「자」의 필법으로 구성하면 된다.

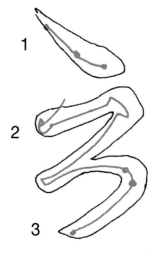

「처, 쳐」의 「ㅊ」획에서 ①획은 「ㅎ」획의 필법과 같고, ②획과 ③획은 「저」와 필법이 같다.

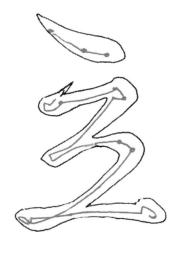

「초, 쵸, 추, 츄, 츠」의 「ㅊ」획은 「ㅎ」획의 ①획과 「ㅈ」의 필법으로 구성하면 된다.

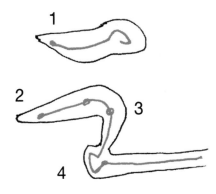

「타, 티」의 「ㅌ」획에서 ①의 가로획은 「ㄷ」획 첫 가로획과 같이 강하게 긋고 ②획의 가로획은 좀 약하게 그으며 ③의 세로획과 ④의 가로획은 「다, 디」의 필법과 같다.

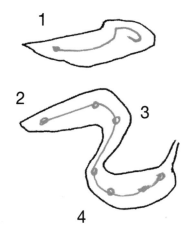

「터」의 「ㅌ」획에서 ①의 가로획은 「ㄷ」획 첫 획과 같이 강하게 긋고 ②획의 가로획은 좀 약하게 그으며 ③의 세로획과 ④의 가로획은 「더, 뎌」의 필법과 같다.

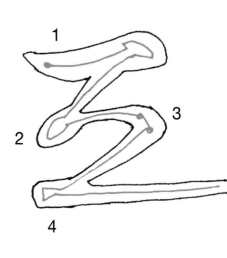

「파, 피」의 「ㅍ」획 ①의 가로획은 「ㄷ」의 ①획과 같고 ②획과 ③획은 「ㅛ」의 ①, ② 획 또는 「ㅂ」의 ①, ②획과 같으나, ④의 가로획은 세로획까지 길게 그어서 살짝 누르고 붓을 든다.

「퍼, 펴」의 「ㅍ」획은 ①, ②, ③까지는 필법이 같고 ④획은 짧게 긋고 누르고 붓을 든다.

「포, 표, 푸, 퓨, 프」에서 자음의 「ㅍ」획은 「파, 퍼」의 ②, ③획보다 짧게 그어야 한다.

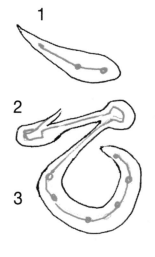

「하, 햐, 히」의 「ㅎ」획에서 ①획은 자음 중심의 왼쪽에서 약45도의 각 아래로 빗겨 강하게 놓고 수평으로 눌렀다가 붓을 들고 ②의 가로획은 붓을 가늘게 「一」획과 같이 긋는다. ③의 「ㅇ」획은 가로획에서 붓끝을 세웠다가 왼쪽 약 45도 각으로 가볍고 예리하게 빗겨 점점 굵게 반원을 긋고 붓을 들어 「ㅇ」획의 위쪽에 가볍게 놓고 나머지 왼쪽 반원을 점점 굵게 겹치도록 그려 붓을 든다.

□ 흘림·반흘림체 받침 필법

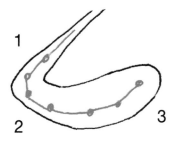

「간, 본, 훈」의 「ㄴ」획
은 모음에서 붓끝을 가
볍게 들고 왼쪽방향으
로 빗겨내려 ①에서 정
자와 같이 붓을 누르고
붓을 들면서 ②오른쪽
으로 둥글게 내리면서
③약간 굵게 눌러서 붓
을 모은다.

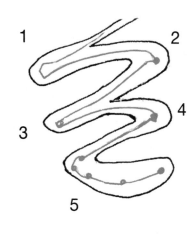

「갈, 들, 릴」의 「ㄹ」받침에서 ①
획은 위의 모음획에서 빗겨 내려
온 방향대로 붓을 놓고 눌렀다가
가로획 방향으로 붓을 점점 들면
서 그어 모음의 세로획 또는 자음
의 가로획 끝까지 긋고 ②붓끝을
세워서 강하게 눌렀다가 왼쪽으
로 약45도 각으로 점점 가늘게
빗겨 그어 ③붓끝을 세우고 오른
쪽으로 되감듯이 둥근 모양으로
가볍게 긋고 ④붓끝을 세워서 왼
쪽 방향으로 강하게 누르고 ②,
③획과 평행이 되도록 점점 가늘
고 더 짧게 긋고 ⑤에서 붓을 세
우고 오른쪽 아래로 약간 둥글게
돌아서 강하게 누르고 붓을 든다.

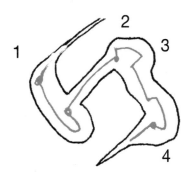

「남, 봄, 홈」등의 「ㅁ」받침
에서 ①획은 위의 가로 모음
획의 끝에서 빗겨 내려온 붓
끝을 가볍게 오른쪽 약45도
각으로 누르면서 긋고 ②에
서 붓끝을 세워 오른쪽 약45
도 각의 위쪽으로 방향을 바
꾸어 점점 가늘게 그어 ③에
서 붓끝을 세워서 강하게 누
르고 들면서 수직으로 내리
고 다시 빗겨 긋다가 ④에서
붓끝을 누르고 왼쪽 아래로
빗겨친다.

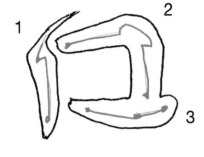

반흘림 「ㅁ」받침은
모음에서 빗겨 내린
자리에서 ①끝점을
찍듯이 붓을 세워서
내리며 ②와 ③의 획
은 정자 「ㅁ」의 필법
과 같다.

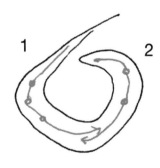

「강, 웅, 등」의 「ㅇ」은 모
음에서 빗겨 내린 자리에
서 ①붓끝을 세우고 왼쪽
으로 붓을 누르면서 반원
을 그리고 붓을 들어 ②에
서 반원이 시작한 지점에
가볍게 놓고 오른쪽으로
붓을 누르면서 반원을 그
려 왼쪽의 반원까지 긋고
붓을 든다.

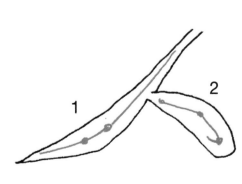

「갓, 벗, 풋」의 「ㅅ」획은
모음에서 ①왼쪽 약 45도
각으로 붓끝을 점점 누르
면서 약간의 곡선으로 부
드럽게 누르면서 빗겨 내
리다가 붓을 들면서 수평
으로 긋고 살짝 붓을 든
다. ②획은 위의 자음이
나 모음의 중심선 아래①
획의 중간지점에 붓을 가
볍게 놓고 오른쪽으로 눌
렀다가 붓을 든다.

□ 흘림체 자음·모음

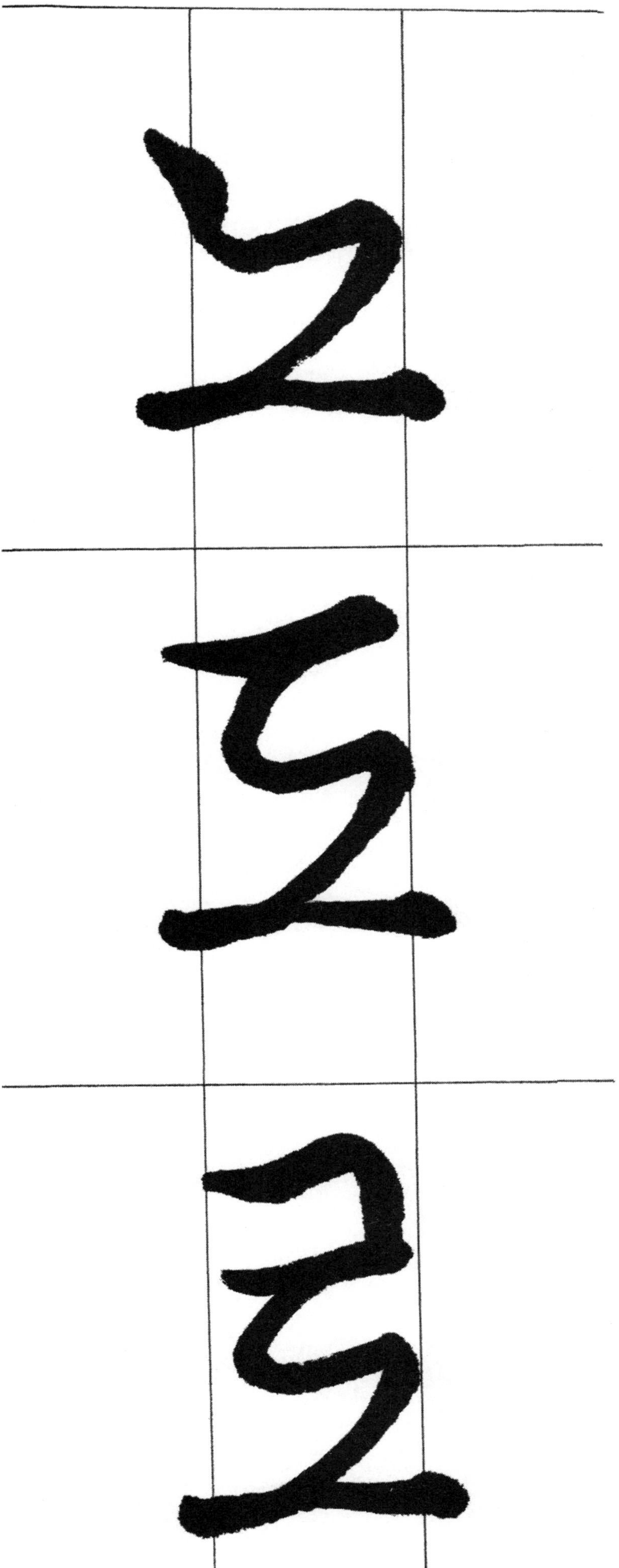

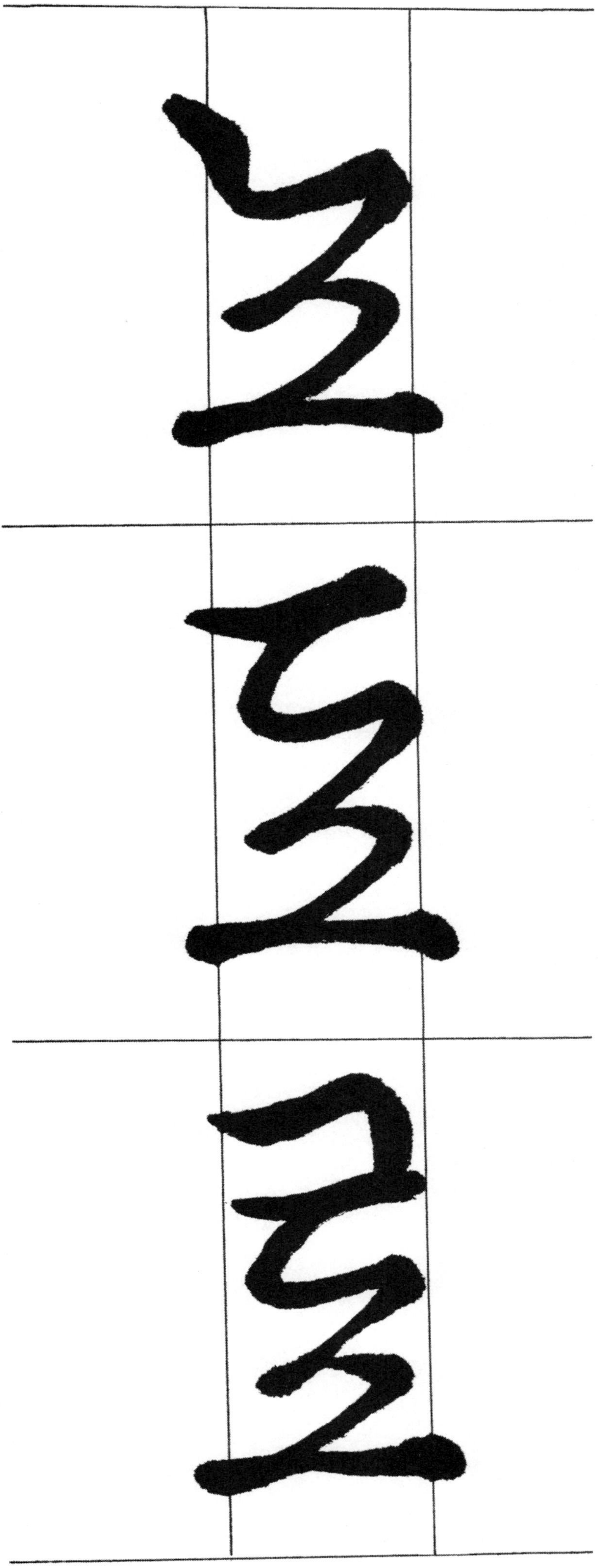

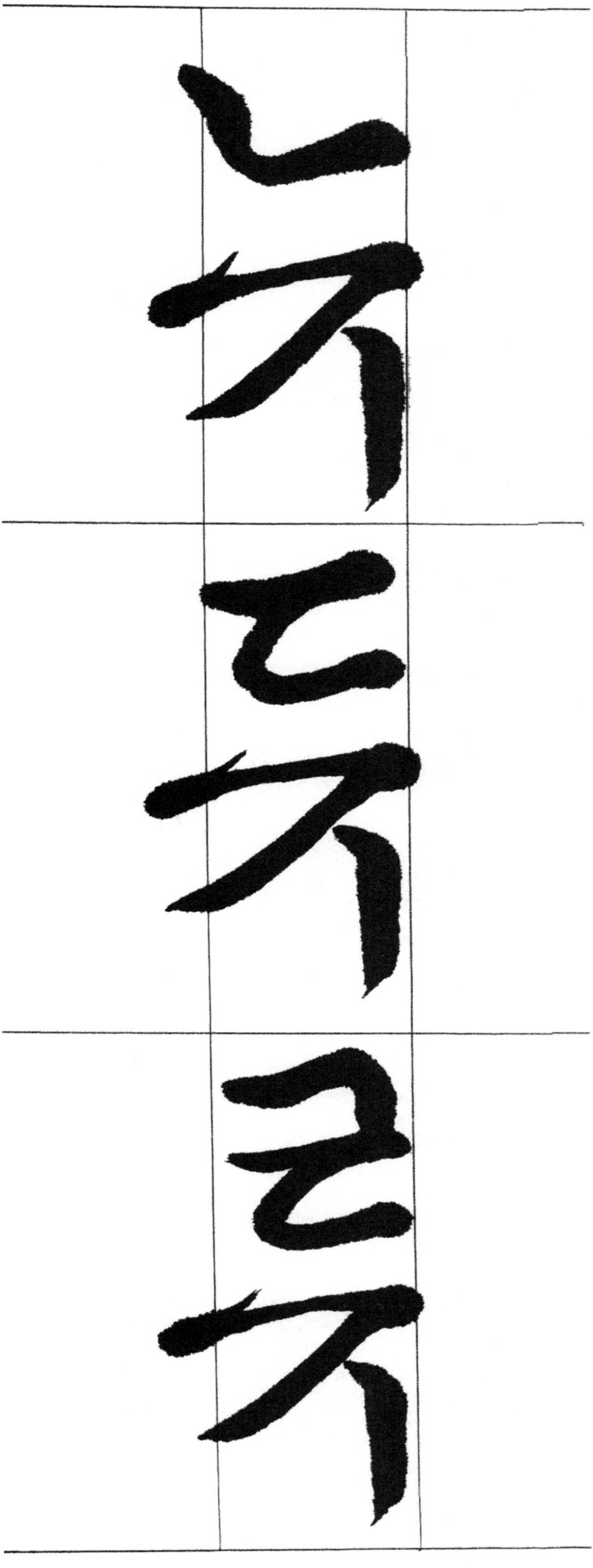

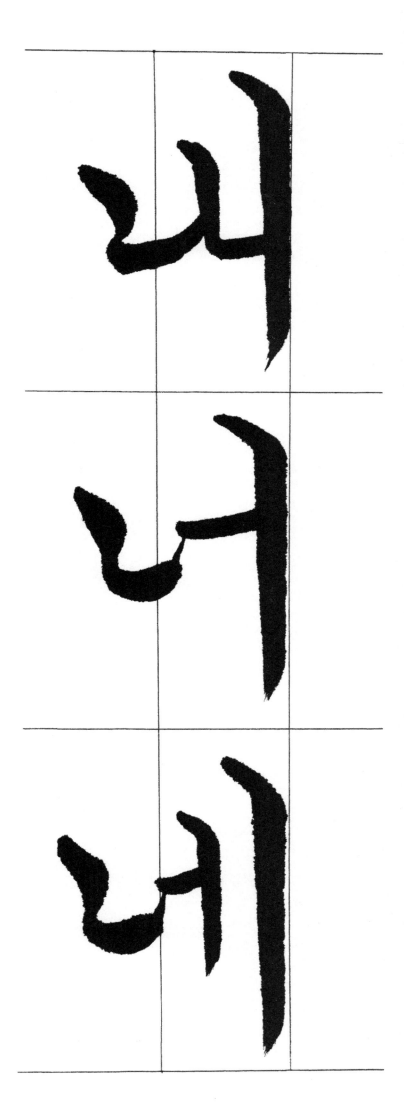

예

되

뒷

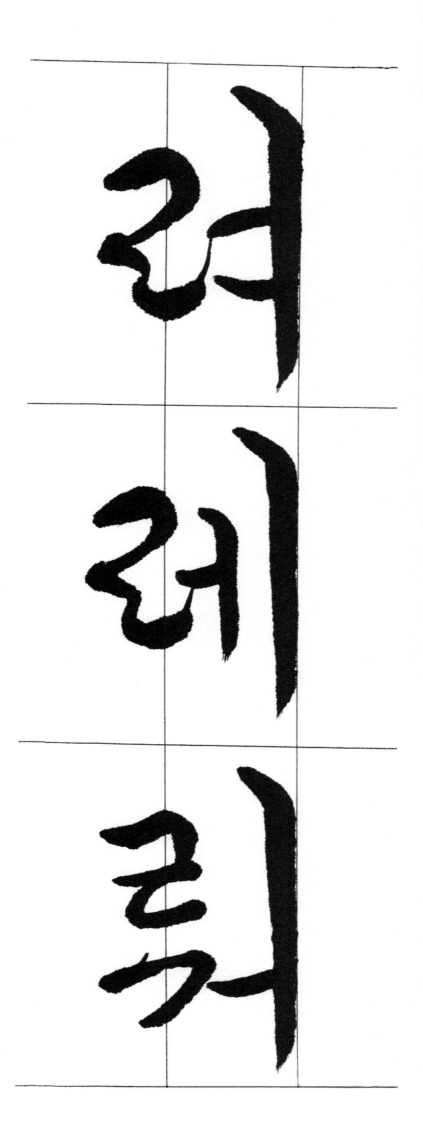

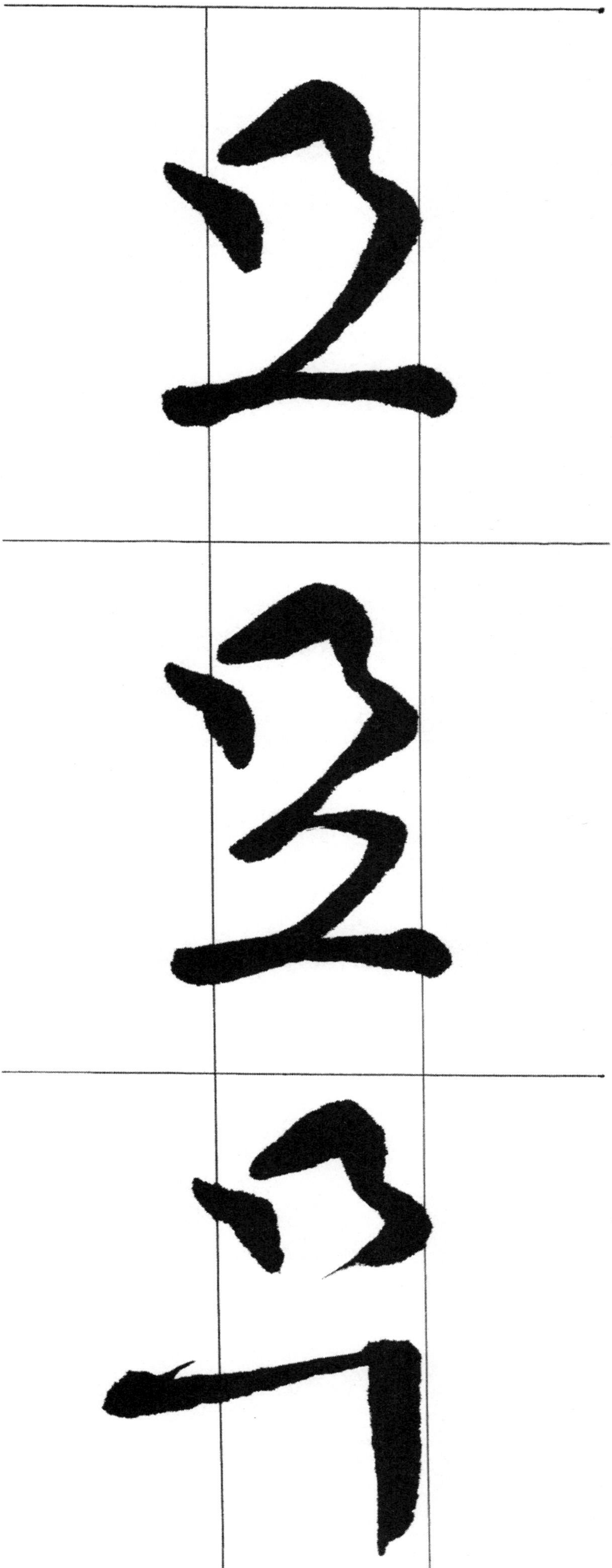

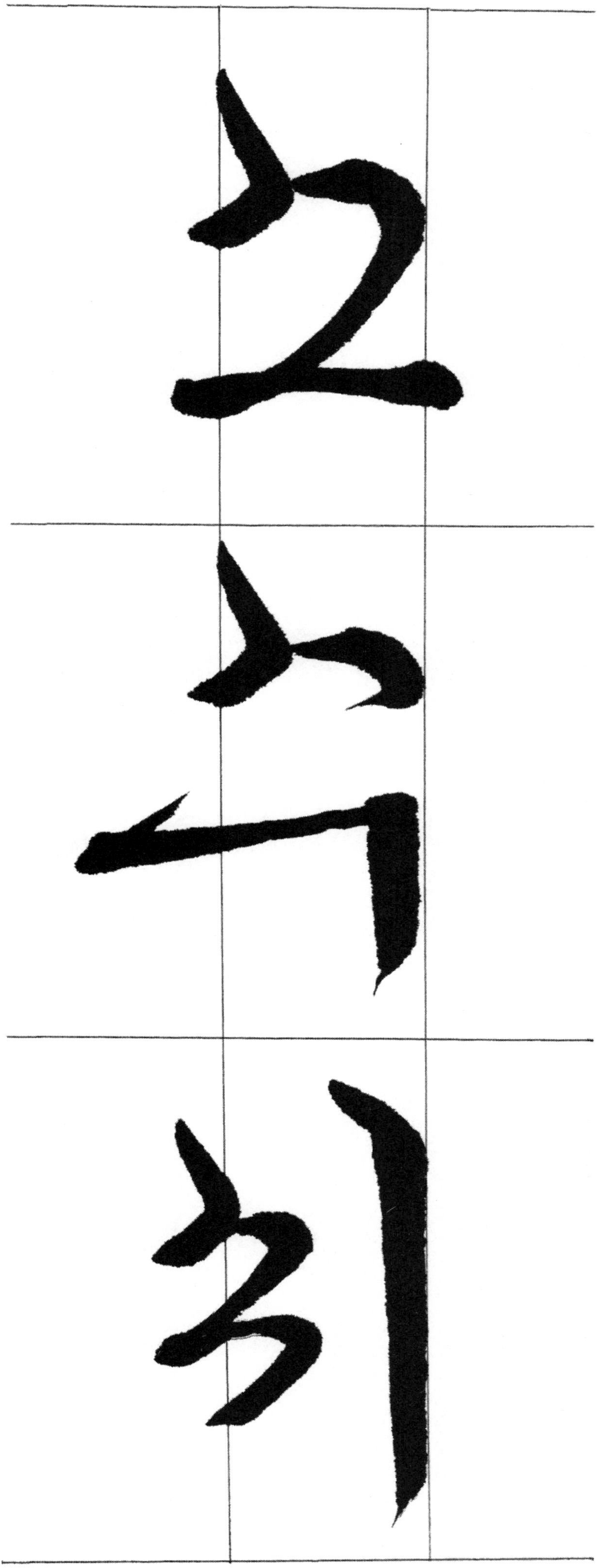

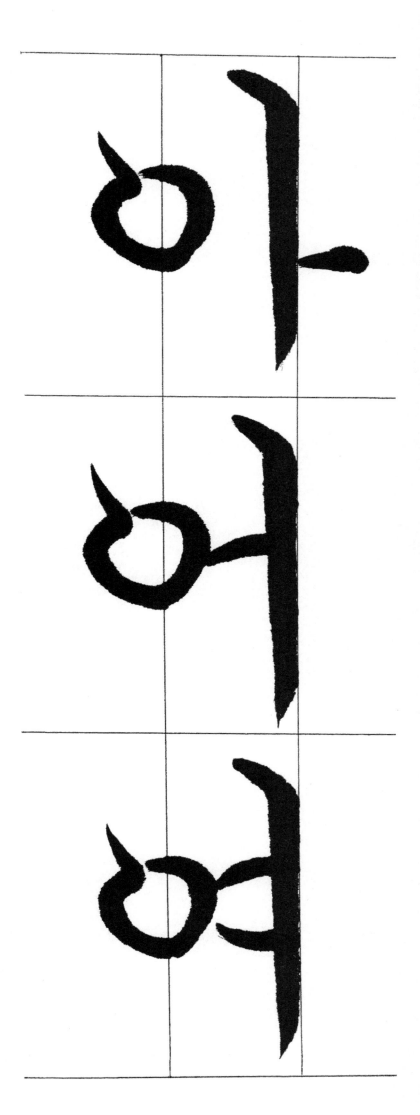

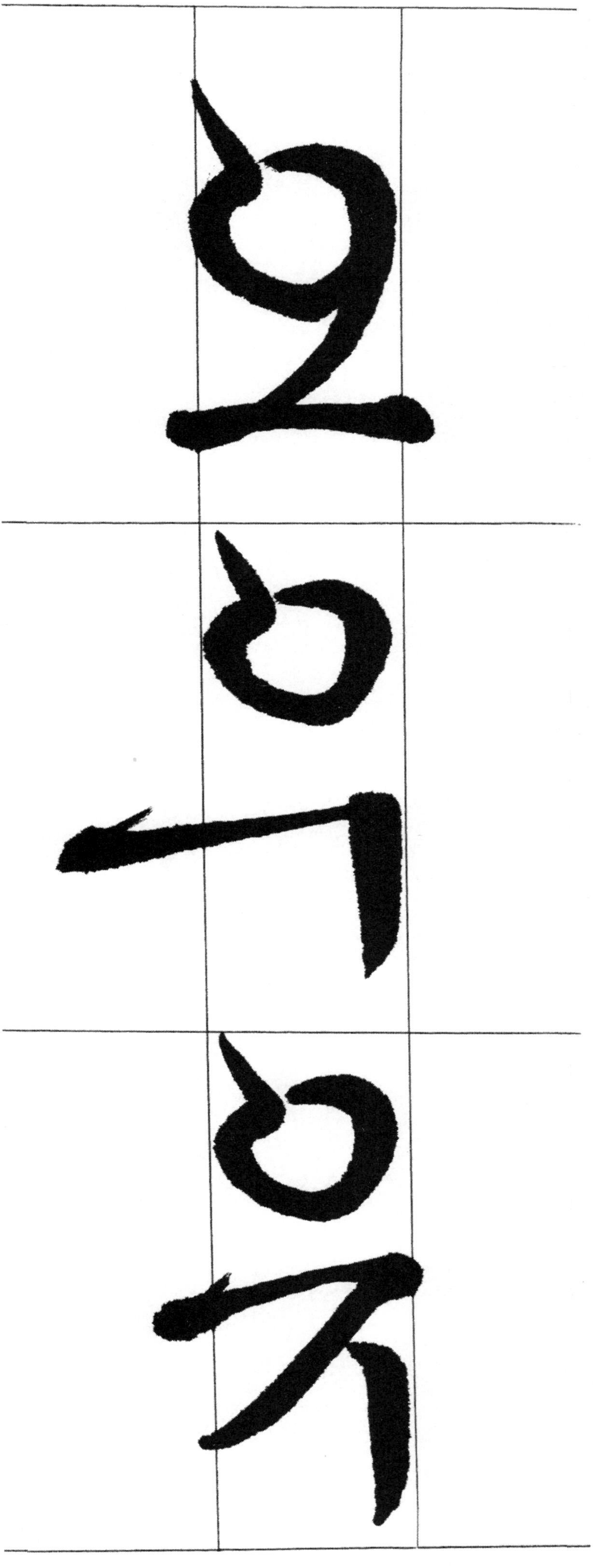

조

좌

쥐

引

弘

覇

코

궤

궈

38

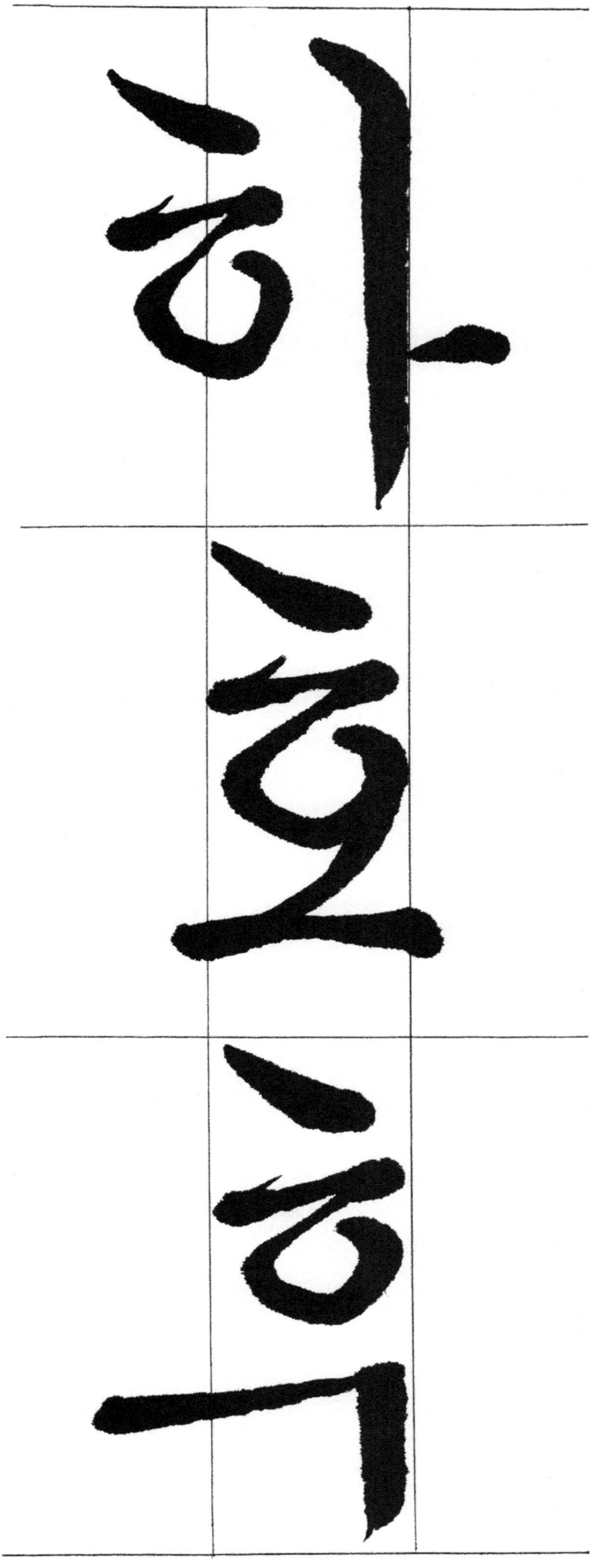
하
호

□ 흘림체 받침

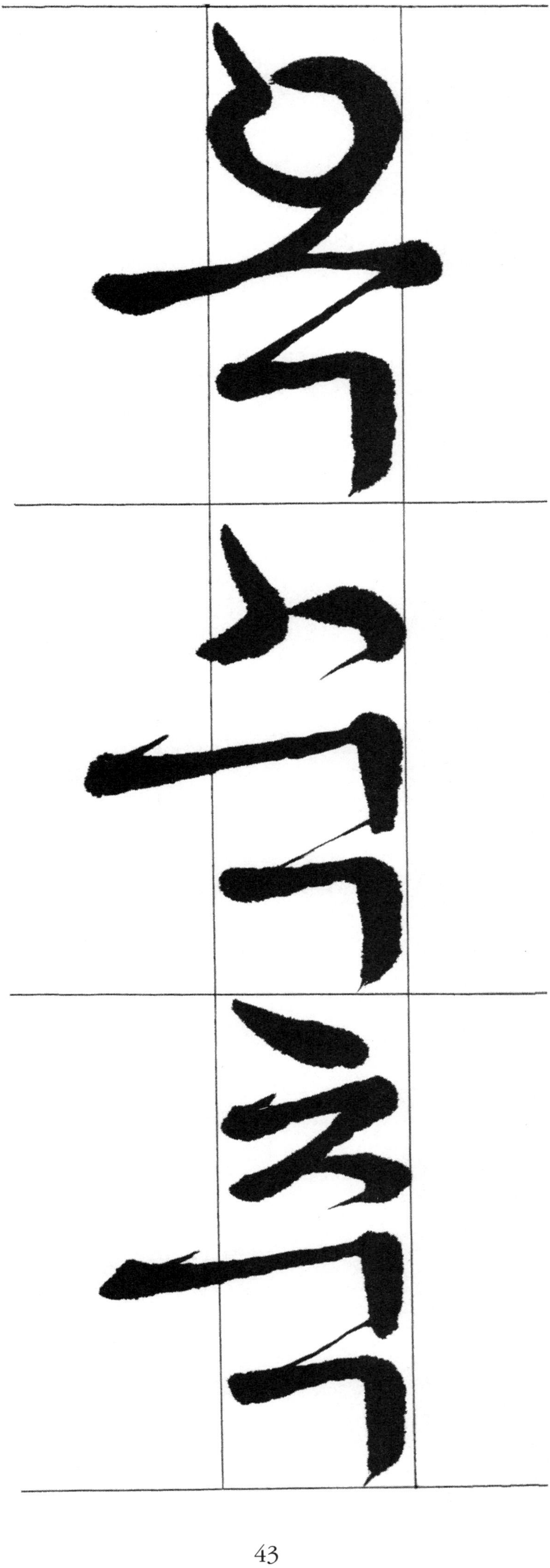

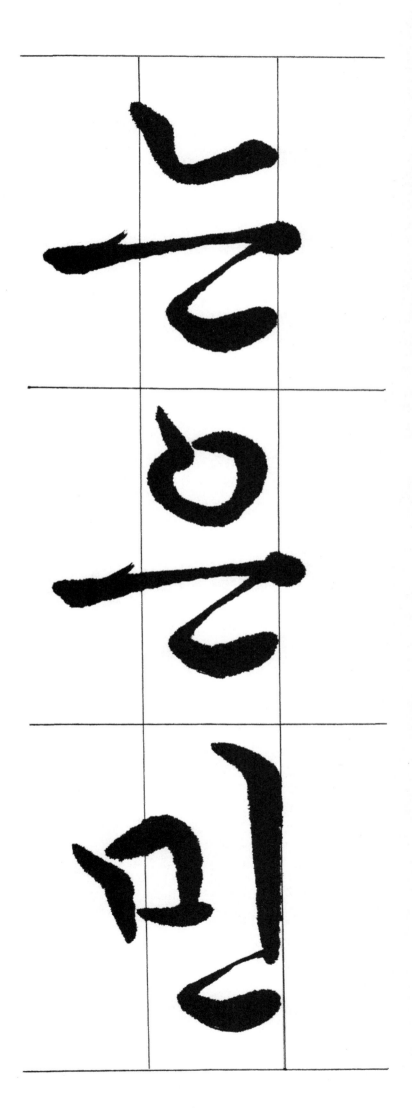

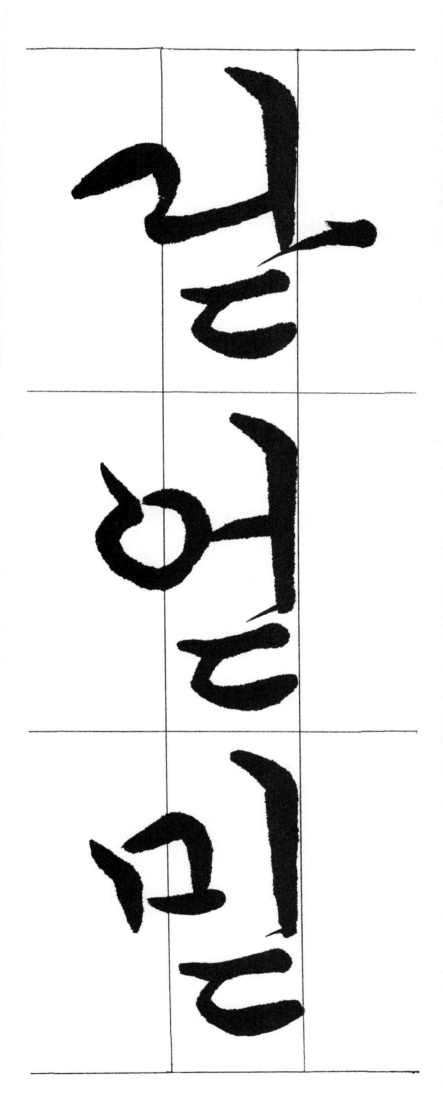

47

渺流澄河

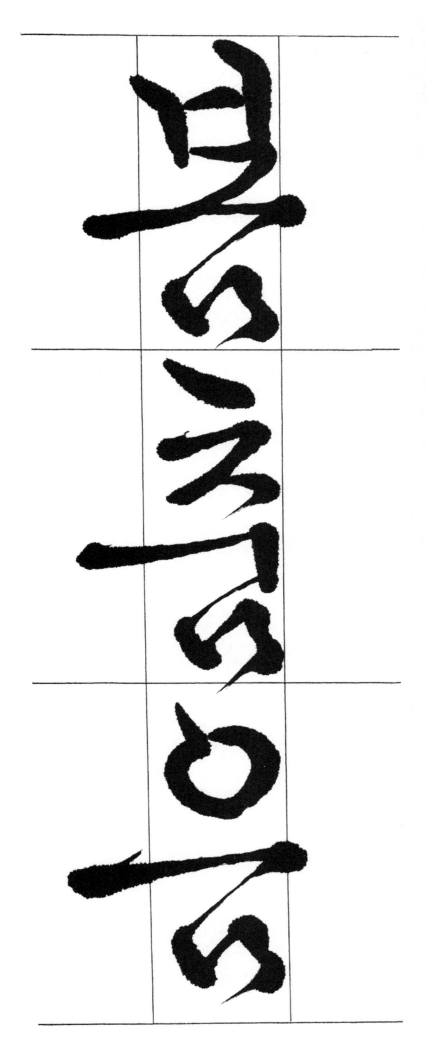

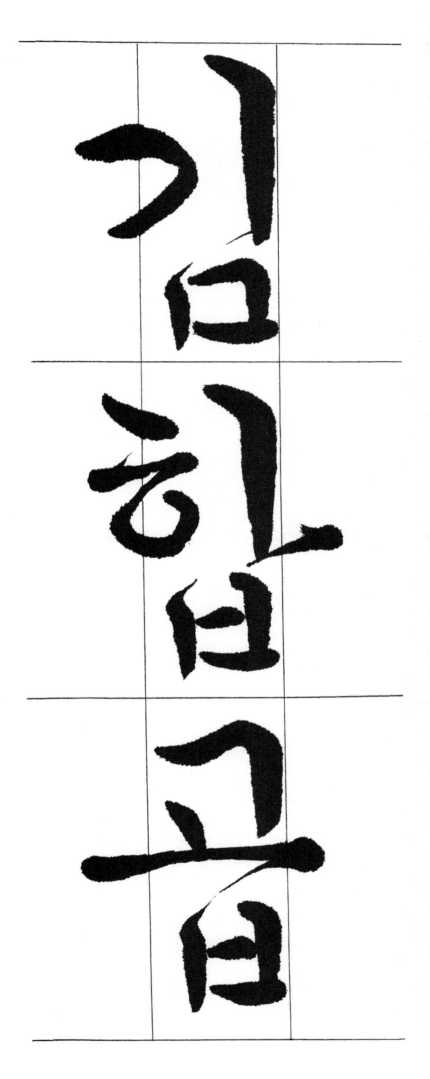

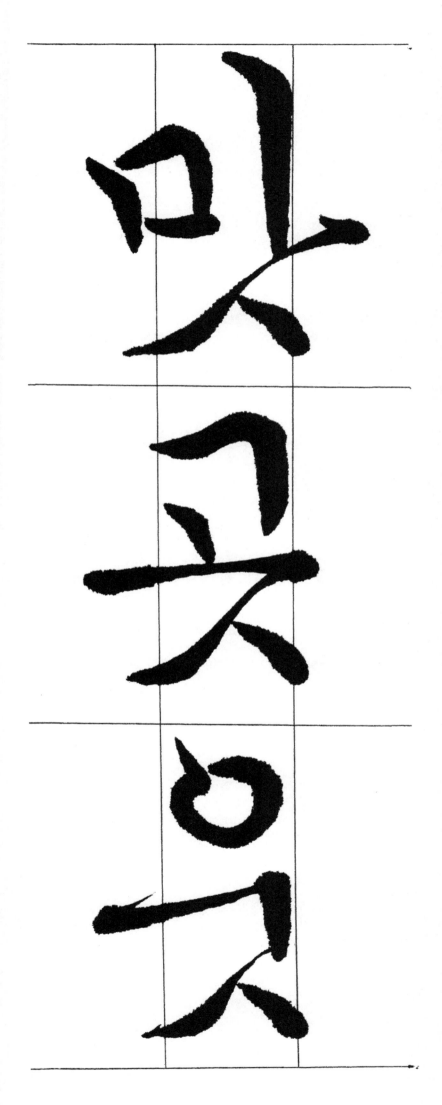

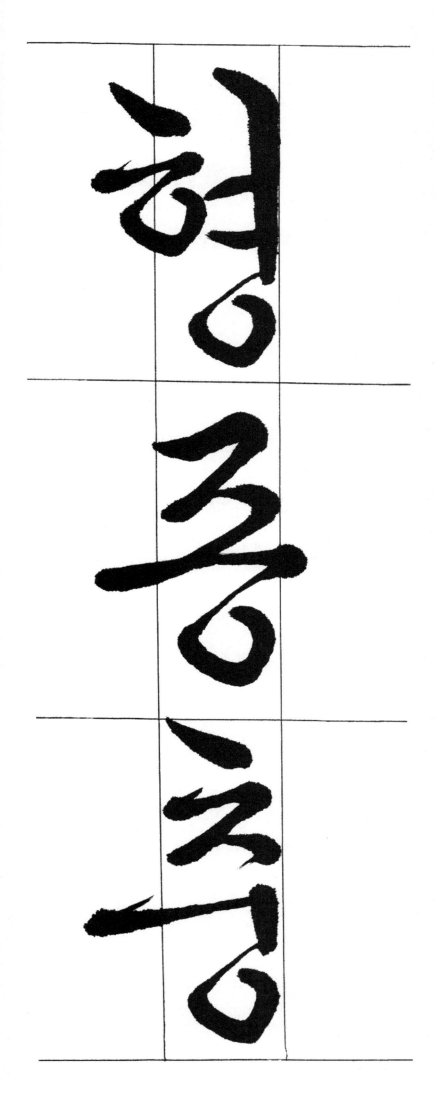

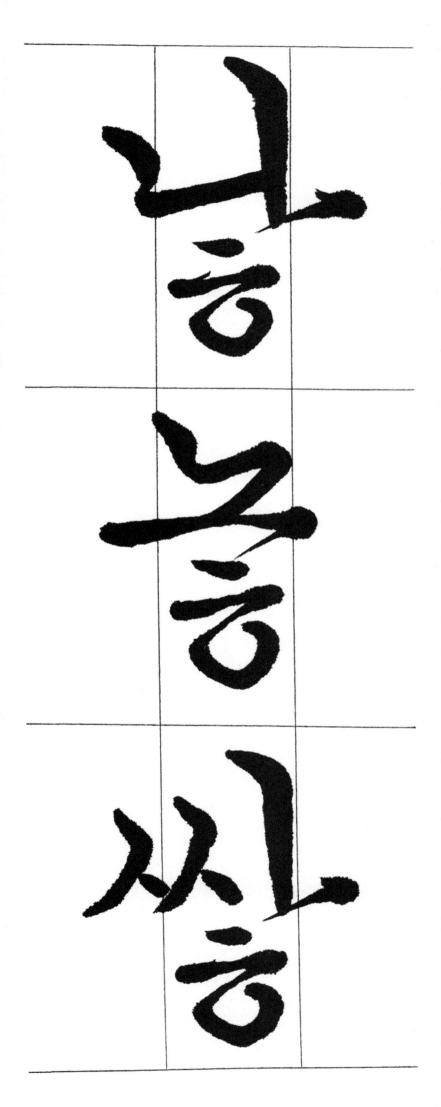

□ 흘림체 겹받침

있으며

비록

거에

오릏 가없 어없

□ 흘림체 낱말

잔
소
리

69

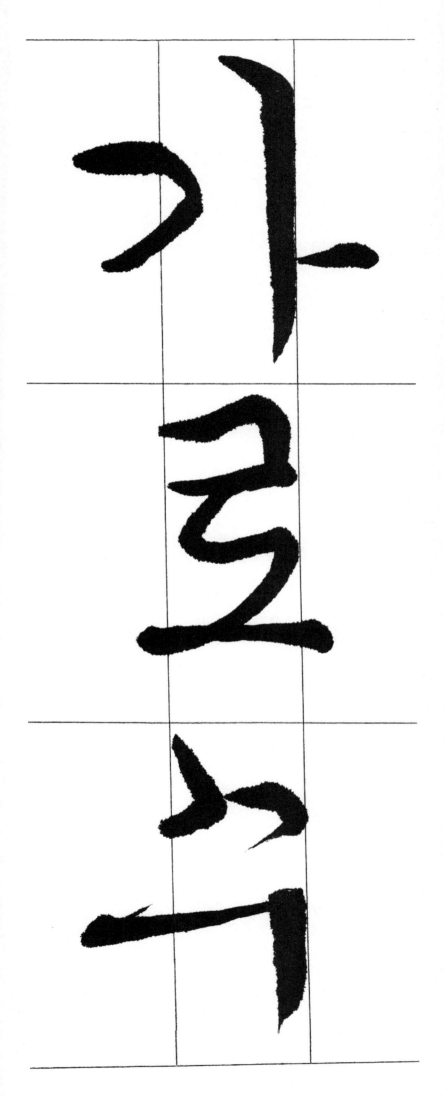

형

지

구

과

75

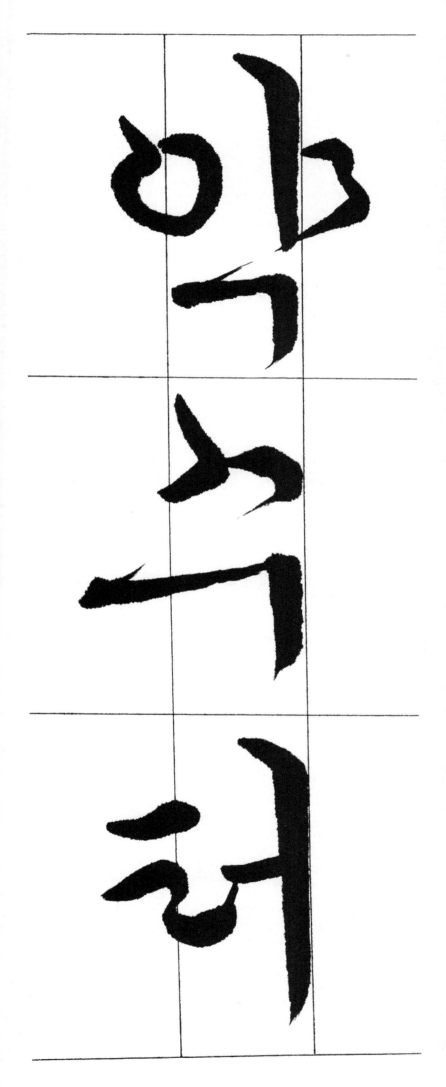

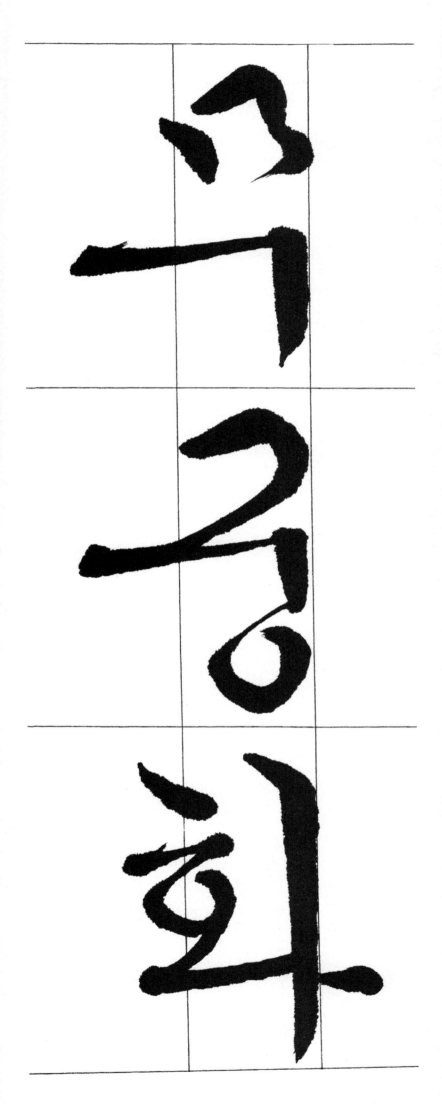

렷지경

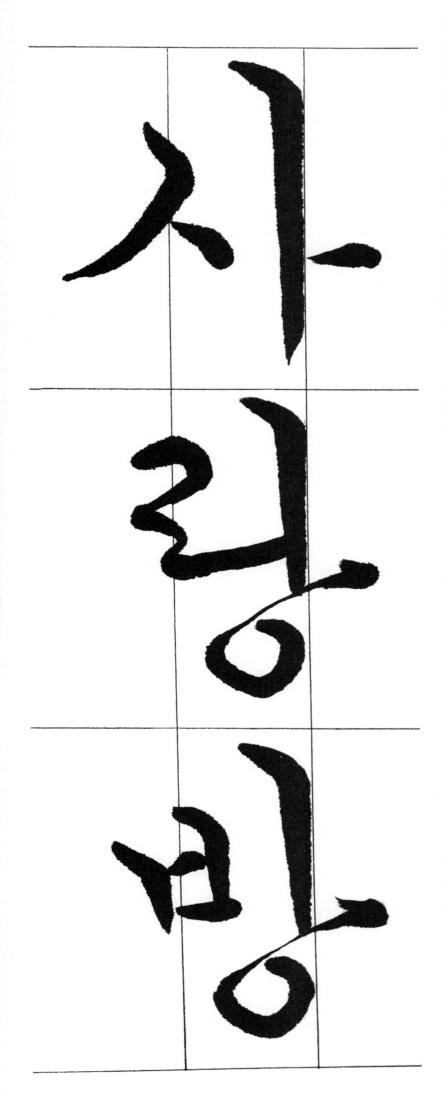

화룡구

도
토
리

수평선

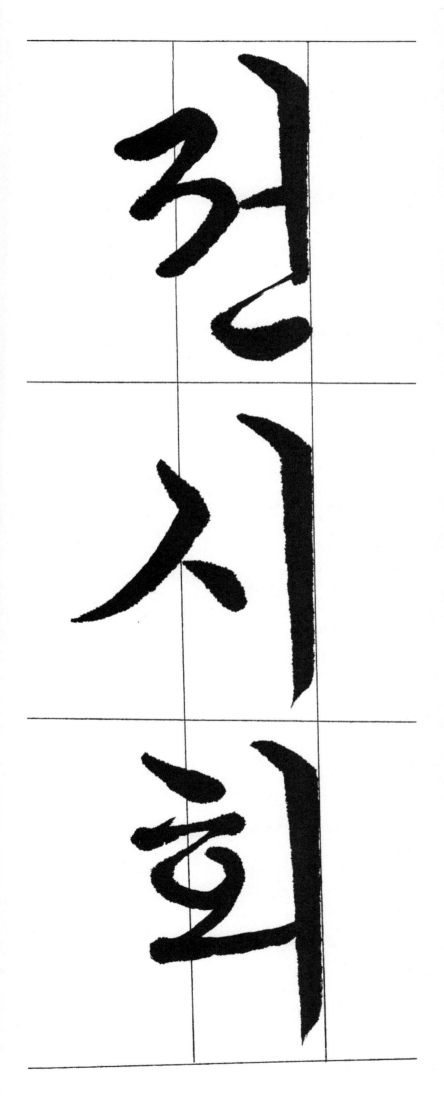

91

금수강산

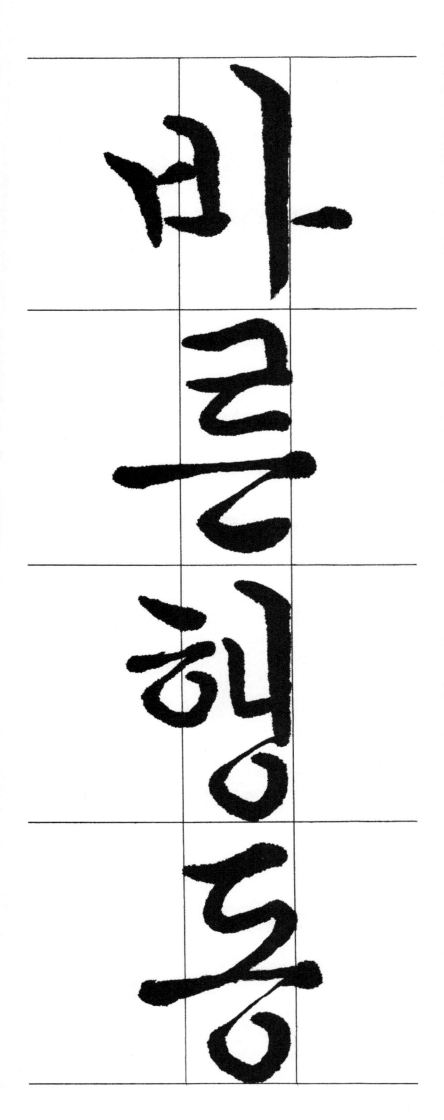

변들행당

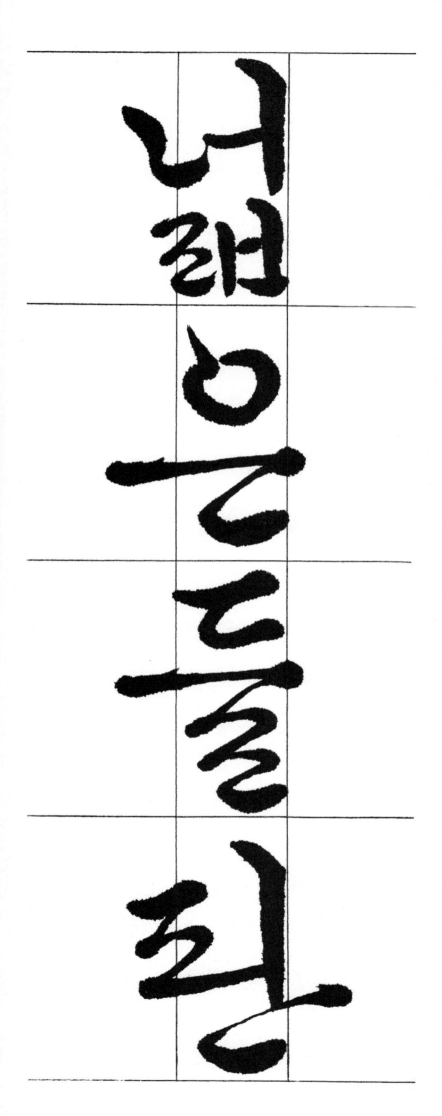

너래 얻는들 회

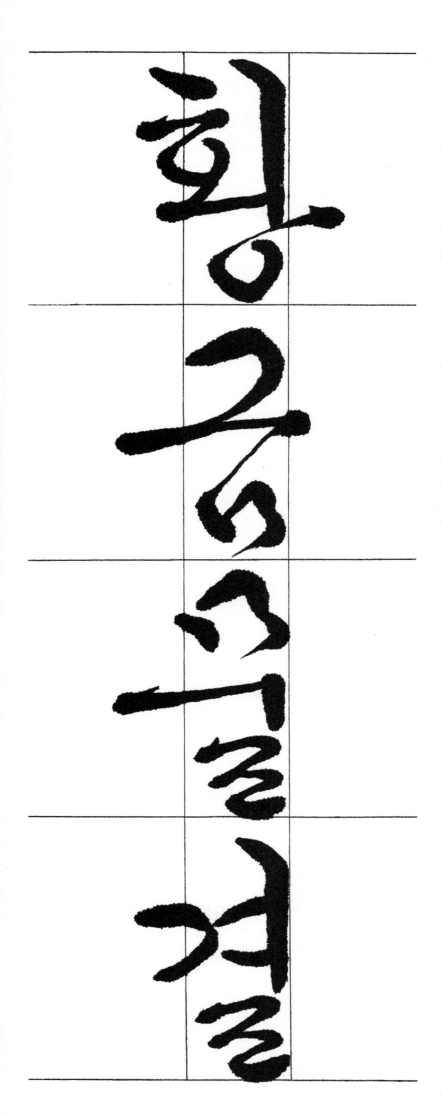

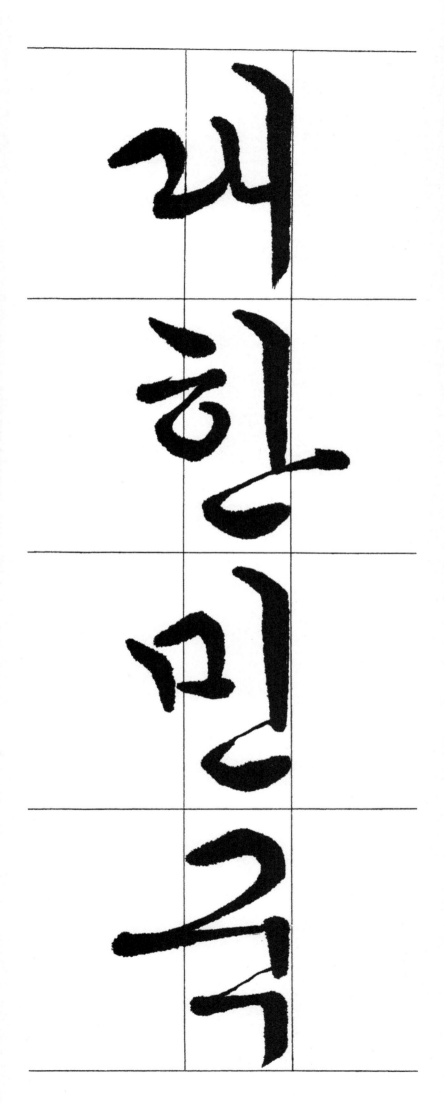

106

쾌를흣글이

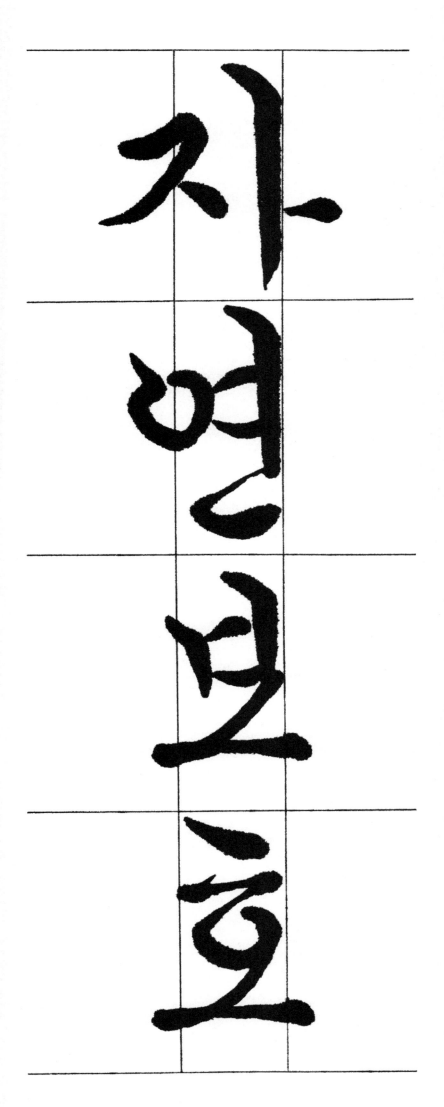

자
격
교
효

여라사랑

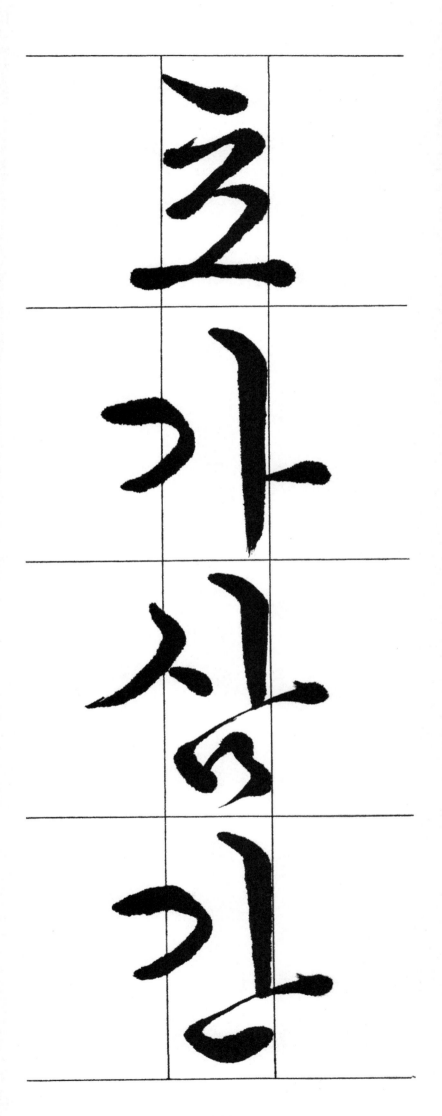

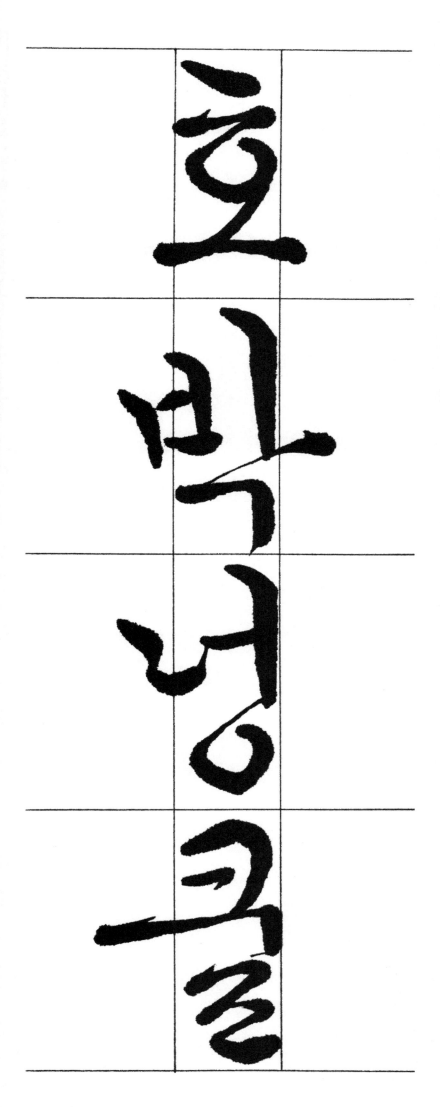

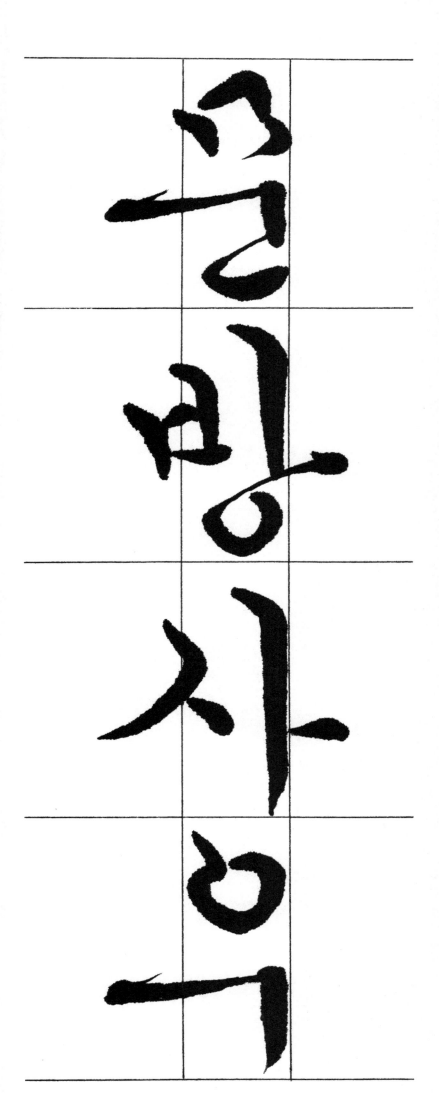

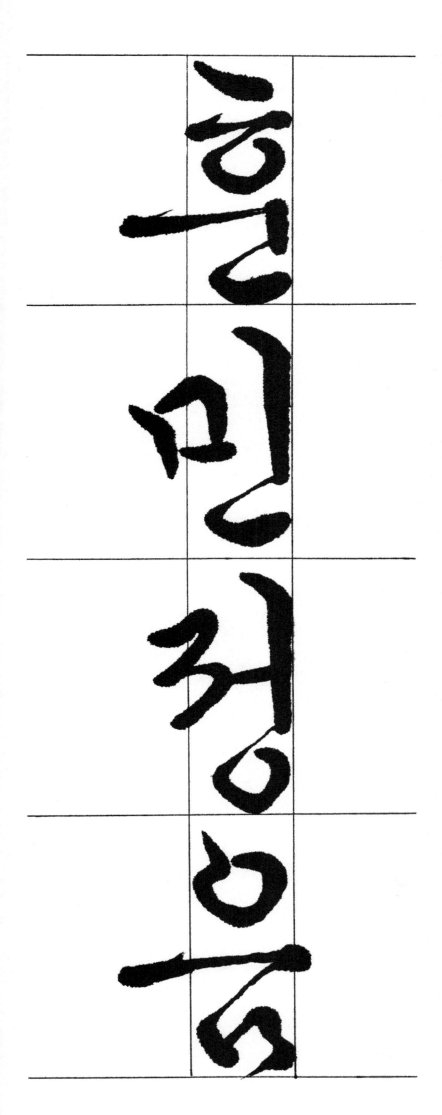

계룡져왕

갈꽃 권 숙 희

· 꽃뜰 이미경 님 사사
· 백수 정완영 님 사사
· 갈물한글서회 이사
· 갈꽃한글서예원 원장

작품소장
· 국립한글박물관
· 세종대왕박물관
· 백수문학관
· 한국시집박물관

갈꽃한글서예원

☎(033)251-4524 / 010-8518-4524
24307. 강원도 춘천시 후만로 116번길 11-1

갈꽃 권숙희쓴
한글서예 흘림체 ①

2000년 2월 10일 초판발행
2005년 10월 18일 재판발행
2019년 10월 31일 3판발행

저 자 : 권 숙 희

발행처 : ㈜이화문화출판사

발행인 : 이 홍 연, 이 선 화

등록번호 : 제 300-2015-92

서울시 종로구 인사동길 12 (대일빌딩 3층 310호)

전화 (02) 732-7091~3

팩스 (02) 725-5153

정가 15,000원